CE LIVRE APPARTIENT À

_____

nom

65 MILLIONS D'ANNÉES APRÈS, ILS REVIVENT !

Le Parc jurassique est situé sur l'île de Nublar, à 200 km au large du Costa Rica, en Amérique centrale. Après cinq ans de travaux, c'est devenu un parc unique au monde, créé à partir du rêve de John Hammond, un homme d'affaires qui a fait fortune en créant des parcs d'attractions et des jardins zoologiques un peu partout dans le monde.

Imagine une île de rêve, avec sa végétation luxuriante, une île peuplée de...
DINOSAURES VIVANTS !

COMMENT EST NÉ LE PARC JURASSIQUE

Des paléontologues ont découvert, dans des morceaux d'ambre, des fossiles de moustiques intacts. L'estomac de ces insectes contenait encore le sang de dinosaures qu'ils avaient piqués il y a plus de 65 millions d'années. À partir de ce sang, des généticiens ont été capables de retirer l'ADN (le code génétique qui détermine la nature de chaque être vivant) de ces dinosaures et, à l'aide d'ordinateurs superpuissants, de recréer des embryons de dinosaures.

Les dinosaures sont des reptiles qui ont vécu sur Terre il y a très, très longtemps, bien avant l'apparition des êtres humains. Personne n'a encore jamais vu de dinosaures vivants... jusqu'à aujourd'hui !

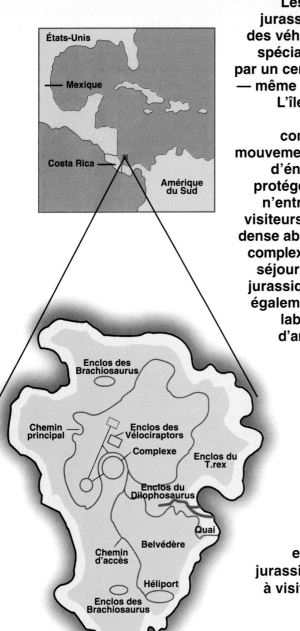

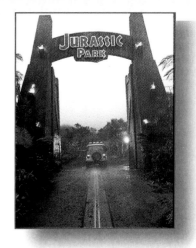

Les visiteurs explorent le Parc jurassique dans des «Explorers», des véhicules dotés d'équipements spéciaux. Dans l'île, tout est réglé par un centre de contrôle informatisé — même les véhicules d'exploration. L'île est dotée d'un système de sécurité ultraperfectionné, comprenant des détecteurs de mouvement, des clôtures électrifiées, d'énormes fossés et des enclos protégés, pour que les dinosaures n'entrent pas en contact avec les visiteurs. Cependant cette forêt très dense abrite un îlot de civilisation, un complexe de bâtiments. C'est là que séjourneront les visiteurs du Parc jurassique. Le complexe comprend également la salle de contrôle et le laboratoire, ainsi que le centre d'animation du Parc jurassique.

Le complexe est entouré de gigantesques clôtures électrifiées qui protègent les gens des «visiteurs» indésirables. L'enclos où habitent les petits mais féroces Vélociraptors est situé près du complexe.

ET L'HISTOIRE COMMENCE...

Un groupe de scientifiques et de visiteurs arrive au Parc jurassique. Ils seront les premiers à visiter le parc avant l'ouverture officielle et à voir des dinosaures vivants.
Le temps est beau, mais une tempête tropicale se dirige vers l'île à toute vitesse.
Tout semble bien se dérouler. Toutefois il y a un grain de sable dans l'engrenage...

VOICI LES HUIT PERSONNAGES QUI T'ACCOMPAGNERONT DANS TON EXPLORATION DU PARC JURASSIQUE.

DR ELLIE SATTLER

Le Dr Ellie Sattler est paléobotaniste, c'est-à-dire qu'elle étudie les plantes fossiles. Elle accompagne le Dr Grant pour l'inspection de l'île.

TIM

Tim, qui a neuf ans, est le petit-fils de John Hammond. Grand amateur de dinosaures, il est venu dans l'île voir son grand-père... et aussi le Dr Grant, son idole.

DR ALAN GRANT

Le Dr Alan Grant est un paléontologue qui étudie les squelettes de dinosaures carnivores. Il a été invité à visiter le Parc jurassique avant l'ouverture, pour inspecter les installations.

JOHN HAMMOND

John Hammond est un homme d'affaires à la tête d'une immense fortune. Il a réalisé son rêve : construire le Parc jurassique. Passionné par les dinosaures, il a inventé un nouveau concept de parc d'attractions. C'est son entreprise, InGen, qui a construit le parc et créé les dinosaures.

DR IAN MALCOLM

Le Dr Ian Malcolm est un mathématicien de génie chargé de voir à ce que tous les systèmes de l'île fonctionnent en coordination. Cependant, il croit que la science ne peut pas toujours contrôler des systèmes naturels aussi complexes. Il est convaincu que quelque chose va tourner mal.

LEX

Lex a douze ans et est la soeur de Tim. Autant son frère aime les dinosaures, autant elle est fanatique d'informatique. Elle nourrit une passion secrète pour le Dr Grant.

ROBERT MULDOON

Robert Muldoon est le gardien-chef du Parc jurassique. Il a travaillé avec des animaux sauvages pendant des années, mais il se méfie des dinosaures — surtout des Vélociraptors.

DENNIS NEDRY

Dennis Nedry a programmé tous les systèmes informatiques du Parc jurassique. En échange d'une grosse somme d'argent, il a accepté de vendre des embryons congelés de dinosaures à une entreprise concurrente.

Pour pouvoir quitter le complexe incognito, il désamorce une partie du système de sécurité du Parc jurassique.

Malheureusement, son programme éteint tous les systèmes de sécurité. Aucune des clôtures électrifiées ne fonctionne et les dinosaures ne tardent pas à se rendre compte qu'ils peuvent s'évader !

ET MAINTENANT, VOICI L'UN DES DINOSAURES QUI PEUPLENT LE PARC JURASSIQUE...

Lex, Tim et le Dr Grant marchent dans la forêt et essaient de retrouver leur chemin jusqu'au complexe. Hier soir, ils ont eu la peur de leur vie : le Tyrannosaurus rex les a attaqués et ils s'en sont sortis de justesse. Soudain, le Dr Grant aperçoit une tache blanche, au pied d'un arbre. En s'approchant, il se rend compte que c'est un nid. Mais ce n'est pas un nid ordinaire : il contient des œufs de dinosaure.

GALLIMIMUS

Signification :
imitateur de gallinacés (volailles)

A vécu il y a 67 à 70 millions d'années

Carnivore, Saurischien

Famille des Ornithomimidés

Observé en Asie (a un parent proche en Amérique
du Nord, le Struthiomimus)

Première découverte :
dans les années 1960, dans le sud de la République
populaire de Mongolie

Description scientifique par trois paléontologues,
les Drs H. Osmolska, E. Roniewisz et
R. Barsbold, en 1972

Taille maximum connue :
5 m de longueur, 2,7 m de hauteur

Longueur du crâne :
30 cm

Poids :
450 kg

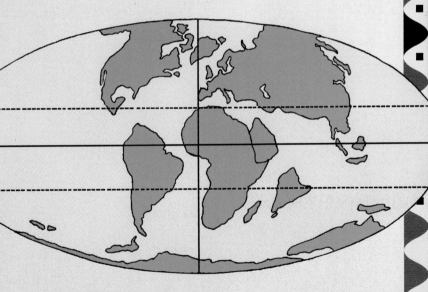

**Cette carte montre l'aspect des continents à
l'époque où vécut le Gallimimus.**

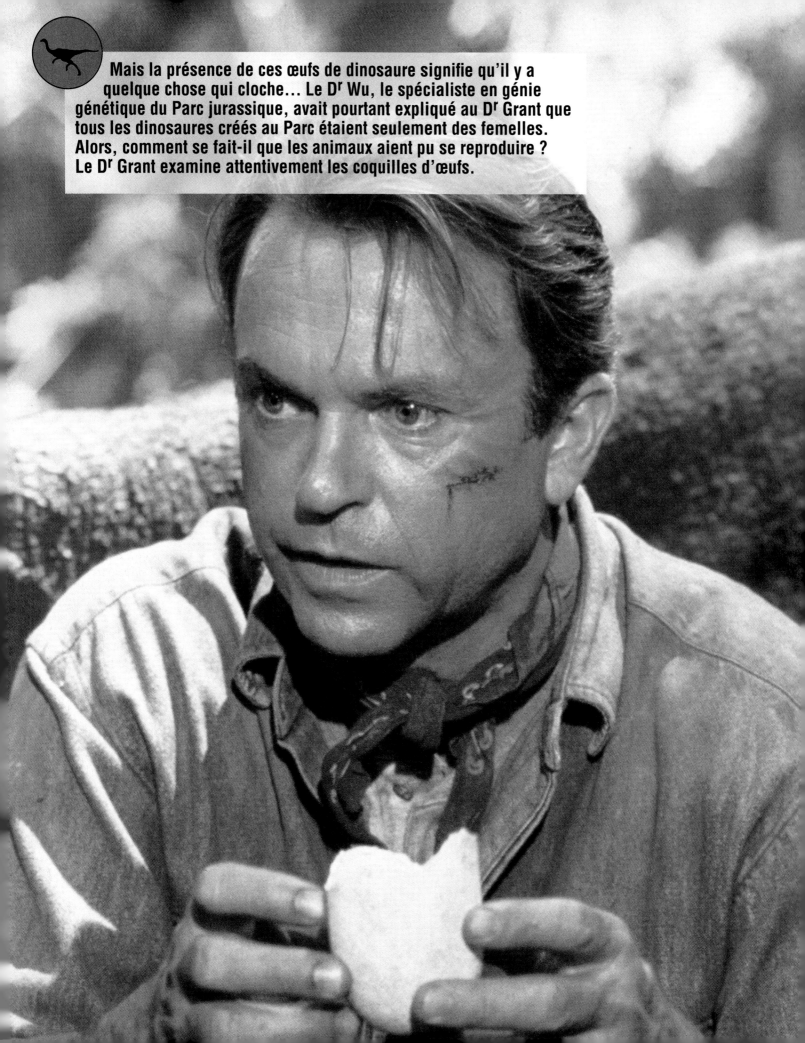

Mais la présence de ces œufs de dinosaure signifie qu'il y a quelque chose qui cloche… Le D^r Wu, le spécialiste en génie génétique du Parc jurassique, avait pourtant expliqué au Dr Grant que tous les dinosaures créés au Parc étaient seulement des femelles. Alors, comment se fait-il que les animaux aient pu se reproduire ? Le Dr Grant examine attentivement les coquilles d'œufs.

Le Gallimimus et son proche parent, le Struthiomimus, appartiennent
à un groupe de dinosaures appelés Ornithomimidés. Les scientifiques
les comparent souvent à des autruches. En fait, le mot «Struthiomimus»
signifie «imitateur d'autruche». Ces dinosaures ressemblent à l'autruche
moderne, qui ne peut pas voler, mais il est très improbable qu'ils soient
reliés de près à cet animal. Toutefois, les dinosaures autruches,
comme les autruches d'aujourd'hui, pouvaient courir très rapidement.

**Voici un Gallimimus adulte, par comparaison
à un être humain de 1,85 m.**

Mystère... Le Dr Grant se rappelle soudain que, lorsque les scientifiques ont recréé l'ADN (le code génétique) des dinosaures à partir du sang trouvé dans l'estomac d'un moustique fossilisé, ils se sont rendu compte que ce code était incomplet et ont eu recours à l'ADN de grenouilles pour combler les manques. Et, sans le savoir, ils ont ainsi donné aux dinosaures la capacité de changer de sexe, comme peuvent le faire certaines espèces de grenouilles qu'on connaît aujourd'hui. Les dinosaures du Parc jurassique sont donc capables de se reproduire !

Le Dr Grant montre aux enfants les coquilles des œufs éclos. Puis il examine les petites empreintes de pattes qui partent du nid : pas de doute, ce sont des bébés Gallimimus qui sont sortis de ces œufs. Nos trois héros décident de poursuivre leur chemin, sans trop savoir ce qui les attend...

On trouve des fossiles de Gallimimus dans des gisements rocheux un peu partout en Asie centrale. Le Struthiomimus, son cousin nord-américain, vivait à la même époque dans le centre-ouest du Canada, des États-Unis et du Mexique. On croit que, comme la plupart des dinosaures de la fin de l'ère préhistorique, les dinosaures autruches ont migré de l'Asie vers l'Amérique du Nord en passant par un isthme qui reliait les deux continents à cette époque.

Cette carte montre les endroits où on a trouvé des os de Gallimimus et de son cousin nord-américain, le Struthiomimus.

Le Gallimimus vivait dans un environnement de forêt semi-aride et de désert sablonneux. Le Struthiomimus habitait dans divers environnements nord-américains, et c'est dans les gisements des deltas des fleuves de l'Ouest canadien qu'on a découvert le plus grand nombre de spécimens.

Lex, Tim et le Dr Grant sortent enfin de la forêt et traversent une grande clairière, sous un soleil de plomb. Soulagés, ils aperçoivent au loin la clôture électrifiée du complexe. Mais soudain, un faible grondement se fait entendre et, à l'autre bout de la clairière, apparaît un troupeau de Gallimimus qui galopent. Le troupeau se déplace en bloc et change plusieurs fois de direction, tout en se rapprochant. «Sauve qui peut !» hurle Tim lorsqu'il se rend compte que les animaux foncent tout droit sur eux. Sans perdre une seconde, les enfants et le paléontologue plongent sous une pile de troncs d'arbres, au moment même où les Gallimimus bondissent au-dessus et à côté d'eux.

Cette illustration permet de comparer le pied d'un Gallimimus (à gauche) à celui d'une autruche (à droite).

Remarque combien ils se ressemblent. Tous deux sont conçus pour absorber les impacts sur le sol lorsque les animaux courent rapidement. L'autruche n'a que deux orteils, alors que le Gallimimus en a trois. Chez l'autruche, cet orteil a disparu au fur et à mesure de son évolution. Lorsque les scientifiques ont examiné les empreintes fossiles de pieds laissées par les dinosaures autruches nord-américains, ils ont découvert que l'orteil interne des animaux touchait à peine le sol lorsqu'ils couraient.

Il est possible que, si les dinosaures n'étaient pas disparus,
le Gallimimus aurait lui aussi perdu son troisième orteil, comme
l'autruche.

Certains scientifiques croient que les dinosaures autruches utilisaient
les doigts longs et agiles de leurs mains pour creuser à la recherche
d'insectes et pour saisir des fruits. D'autres pensent que ces
dinosaures étaient des chasseurs actifs qui se servaient de ces longs
doigts pour «embrocher» des petits mammifères et d'autres animaux.
Personne ne sait exactement laquelle de ces théories est la bonne.
Peut-être ces doigts servaient-ils à tout autre chose. En paléontologie,
il reste toujours des mystères à élucider, comme celui-ci.

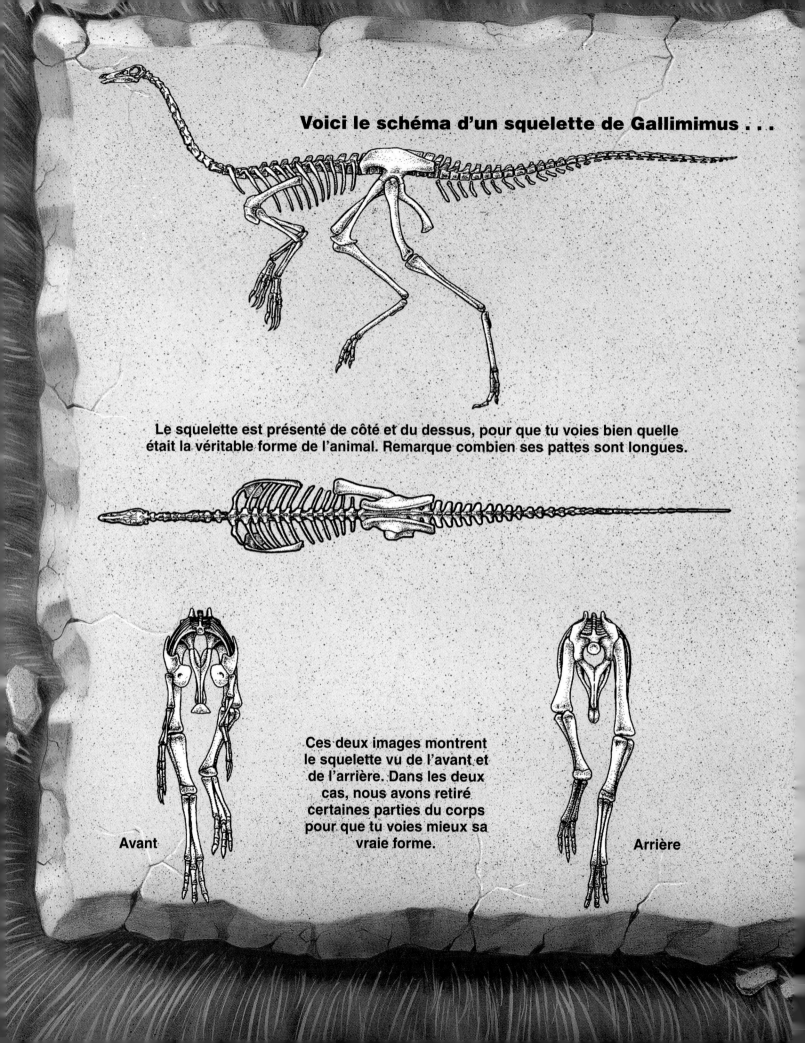

Voici le schéma d'un squelette de Gallimimus . . .

Le squelette est présenté de côté et du dessus, pour que tu voies bien quelle était la véritable forme de l'animal. Remarque combien ses pattes sont longues.

Ces deux images montrent le squelette vu de l'avant et de l'arrière. Dans les deux cas, nous avons retiré certaines parties du corps pour que tu voies mieux sa vraie forme.

Avant

Arrière

et des muscles qui recouvraient ses os.

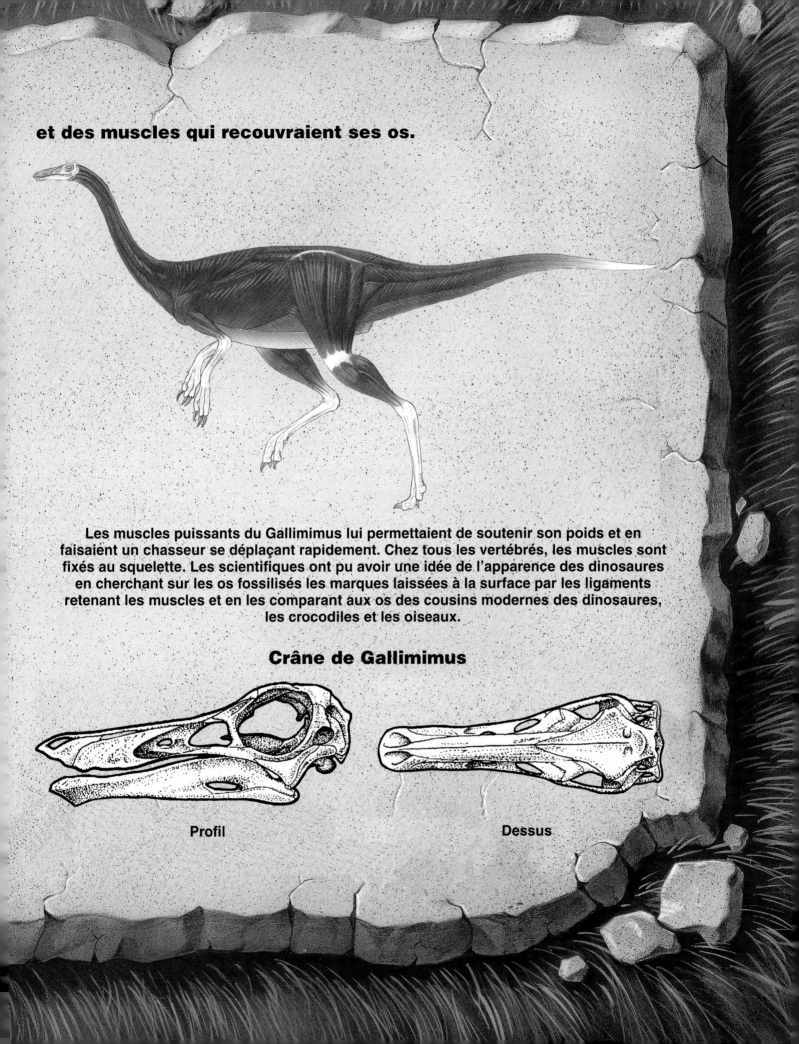

Les muscles puissants du Gallimimus lui permettaient de soutenir son poids et en faisaient un chasseur se déplaçant rapidement. Chez tous les vertébrés, les muscles sont fixés au squelette. Les scientifiques ont pu avoir une idée de l'apparence des dinosaures en cherchant sur les os fossilisés les marques laissées à la surface par les ligaments retenant les muscles et en les comparant aux os des cousins modernes des dinosaures, les crocodiles et les oiseaux.

Crâne de Gallimimus

Profil

Dessus

Après le passage du troupeau, nos héros poussent un soupir de soulagement. Ils lèvent la tête pour jeter un coup d'œil : oui, les Gallimimus s'éloignent. Mais plus loin, le Tyrannosaurus rex, qui s'était échappé, jaillit soudain de la forêt et attrape au passage un Gallimimus. Décidément, la clairière devient dangereuse...
Le Dr Grant et les enfants repartent le plus discrètement possible, sans que le Tyrannosaurus ne les remarque.

Cette image montre le squelette d'un Struthiomimus, un cousin du Gallimimus, tel qu'on l'a découvert en Alberta (Canada).

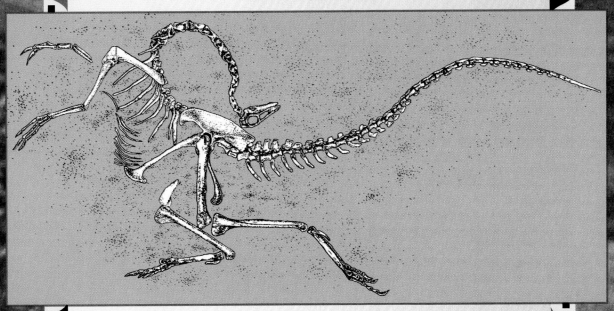

Voici le squelette d'un Struthiomimus tel qu'on l'a découvert dans les bad lands du Parc provincial des dinosaures, dans le sud de l'Alberta (Canada). Note que le squelette est dans une position qui semble plutôt inconfortable. Sa tête et son cou sont tout étirés, et ses pattes semblent immobilisées au milieu d'un mouvement. Les scientifiques ont trouvé de nombreux squelettes de dinosaures autruches dans cette position. On croit que cela est attribuable au fait que les puissants tendons de l'animal se sont resserrés et ont raccourci peu après sa mort. Les tendons auraient alors fait lever les pattes et envoyé le cou vers l'arrière. Ce processus s'observe en fait chez des spécimens morts de nombreuses espèces modernes d'animaux à long cou.

Les sens du Gallimimus étaient très aiguisés. Ses gros yeux lui servaient à surveiller son territoire. Son cerveau était en grande partie consacré à simplement coordonner les signaux transmis par ses yeux. Certains chercheurs pensent que le Gallimimus était un animal nocturne, étant donné la dimension de ses yeux. Comme le Gallimimus était un proche parent du Tyrannosaurus, il avait vraisemblablement, comme lui, de grandes habiletés pour la chasse.

Le Gallimimus n'avait pas de dents. En fait, tout porte à croire qu'un bec acéré semblable à celui d'un oiseau était tout aussi efficace que des dents. On oublie souvent que les faucons, les aigles et les hiboux n'ont besoin que de leur bec pour déchiqueter et dévorer leurs proies.

DANGER
10,000
VOLTS

Enfin, les enfants et le scientifique approchent de la clôture qui entoure les édifices. Le Dr Grant est soulagé quand il se rend compte que les voyants lumineux ne sont pas allumés, ce qui indique que la clôture est désamorcée. Ils pourront donc l'escalader sans craindre de recevoir une décharge de 10 000 volts. Tous trois entendent le Tyrannosaurus rugir au loin et, immédiatement, grimpent à la clôture.

Ce qu'ils ne savent pas, c'est qu'au même moment le Dr Sattler est en train d'essayer de rétablir le courant dans l'île. Soudain, les voyants lumineux de la clôture se mettent à clignoter et un signal d'alarme retentit, indiquant que le courant va revenir d'un instant à l'autre. Il n'y a plus une minute à perdre ! Lex et le Dr Grant se laissent rapidement tomber sur le sol, mais Tim glisse et reste accroché à la clôture, pétrifié. Le Dr Grant et Lex hurlent : «Saute ! Vite !» Mais Tim est figé par la terreur. Que va-t-il lui arriver ?

Le Gallimimus avait probablement une alimentation très variée. On croit qu'il mangeait surtout de petits mammifères, mais il complétait peut-être ses repas par des fruits et des plantes.

Mammifères

De nombreuses espèces de petits mammifères de la taille d'un chat vivaient dans l'environnement du Gallimimus et figuraient probablement à son menu. Avec ses mains agiles, pourvues de griffes acérées, le Gallimimus était capable de capturer toutes sortes de petits animaux.

Invertébrés

Cette catégorie comprend tous les animaux qui n'ont pas de colonne vertébrale, des insectes aux chenilles. Le Gallimimus se nourrissait probablement de tous les petits insectes terrestres et volants.

Bébés dinosaures

Certains paléontologues pensent que le Gallimimus mangeait aussi des bébés dinosaures. Ses griffes acérées lui permettaient sans doute de capturer facilement des bébés dinosaures et, grâce à sa rapidité, il pouvait échapper à la mère dinosaure en furie.

UN DESSERT PRÉHISTORIQUE

Il te faut :

1 demi-tranche de
melon d'eau
3 fraises
1 raisin sec
1 banane
1 rondelle d'orange
2 kiwis (facultatif)

Mets la demi-tranche de melon d'eau dans une assiette. Coupe les fraises en deux et place chaque moitié sur le dessus de ton dinosaure pour faire sa crête dorsale. Coupe la rondelle d'orange en deux ; avec une moitié, fabrique une tête et ajoutes-y le raisin sec en guise d'oeil.

Coupe l'autre moitié en deux morceaux et prends-en un pour faire la queue (tu peux manger l'autre morceau !). Pour les pattes, épluche la banane, coupe-la en deux moitiés, puis encore en deux sur le sens de la longueur. Place les pattes sous la demi-tranche de melon d'eau.

Pour ajouter un peu de végétation, épluche les kiwis, tranche-les en rondelles que tu disposeras sous les pattes de ton dinosaure, en les faisant se chevaucher les unes sur les autres et par-dessus les pattes. Bon appétit !

ADN	Abréviation désignant la substance qui détermine les caractéristiques de la structure de tout organisme vivant.
Bipède	Qui marche sur ses deux pattes arrière.
Dinosaures	Espèce éteinte d'animaux ayant vécu sur Terre et étroitement reliés aux oiseaux et aux reptiles.
Embryon	Œuf fertilisé d'un être vivant.
Fossile	Toute forme conservée d'un animal ou d'une plante préhistorique.
Gallinacés	Ordre d'oiseaux qui ressemble à la poule ou au coq (du latin *gallina,* poule).
Paléobotaniste	Scientifique qui étudie les plantes fossiles.
Paléontologue	Scientifique qui étudie les organismes fossiles ayant vécu pendant la préhistoire.
Prédateur	Tout être qui pourchasse des animaux pour se nourrir.
Quadrupède	Qui marche sur ses quatre pattes.
Saurischiens	L'un des deux principaux groupes de dinosaures, définis par la position des os dans les hanches. Chez les Saurischiens, la position de ces os ressemble à celle qu'on observe chez les lézards modernes (d'où leur nom qui vient du grec *sauros*, lézard).
Tendons	Sorte de liens non osseux servant à rattacher les muscles aux os.

Texte
Lucie Duchesne et Andrew Leitch

Recherche
Andrew Leitch

Illustration couverture
Michel-Thomas Poulin

Illustrations
PaleoImage Ltd.

Direction artistique
Studio de la Montagne
Louis C. Hébert

Infographie
Benoît Lafond et Line Godbout

Produit par
Groupe Potentiel Inc.

Photographies tirées du film
Parc jurassique

Scénario
Michael Crichton et David Koepp

D'après le roman de
Michael Crichton